劉福春・李怡 主編

民國文學珍稀文獻集成

第四輯

新詩舊集影印叢編　第159冊

【邱韻鐸卷】

夢與眼淚

1928 年 8 月 20 日初版

邱韻鐸 著

【顧士傑卷】

片葉

蘇州：小說林書社 1928 年 8 月初版

顧士傑 著

【趙林少卷】

流波

上海：民治書店 1928 年 8 月出版，1929 年 3 月再版

趙林少 著

花木蘭文化事業有限公司

國家圖書館出版品預行編目資料

夢與眼淚／邱韻鐸 著　片葉／顧士傑 著　流波／趙林少 著 -- 初版 -- 新北市：花木蘭文化事業有限公司，2023〔民 112〕

72 面／108 面／108 面；19 ×26 公分

（民國文學珍稀文獻集成・第四輯・新詩舊集影印叢編　第 159 冊）

ISBN 978-626-344-144-6（全套：精裝）

831.8　　111021633

ISBN-978-626-344-144-6

民國文學珍稀文獻集成・第四輯・新詩舊集影印叢編（121-160 冊）
第 159 冊

夢與眼淚
片葉
流波

著　　者　邱韻鐸／顧士傑／趙林少
主　　編　劉福春、李怡
企　　劃　四川大學中國詩歌研究院
　　　　　四川大學大文學學派
總 編 輯　杜潔祥
副總編輯　楊嘉樂
編輯主任　許郁翎
編　　輯　張雅淋、潘玟靜　美術編輯　陳逸婷
出　　版　花木蘭文化事業有限公司
發 行 人　高小娟
聯絡地址　235 新北市中和區中安街七二號十三樓
　　　　　電話：02-2923-1455 ／傳真：02-2923-1452
網　　址　http://www.huamulan.tw 信箱 service@huamulans.com
印　　刷　普羅文化出版廣告事業
初　　版　2023 年 3 月
定　　價　第四輯 121-160 冊（精裝）新台幣 100,000 元　

夢與眼淚

邱韻鐸 著

邱韻鐸（1907～1992），上海人。

一九二八年八月二十日初版。原書五十開。

畸形小集
No. V
夢與眼淚
MCMXXVIII

夢與眼淚

邱……韻……鐸

畸形小集第五種

夢與眼淚

1 9 2 8　7　1　付排
1 9 2 8　8　20　初版
1—1 5 0 0 册

每 册 實 價 大 洋 二 角

目　次

夢 與 眼 淚

À Mlle. Narcisse

“我每念起那舊日門牆的可愛的友人，

常自恨只在夢和眼淚之間訴此甘苦.’’

序　曲

這兒是一段故事,一段人生,
請爲牠加築一座墓墟!
因爲這樣的故事,這樣的人生,
怎值得說與第三人聽取!

〔5〕

〔第一部曲〕

幻　滅

幻　滅

I

一帶薄暗之中的流星，
如從渴睡的沉夢中初醒，
倦眼開時，上蒼與下界，
光天與陰地，立便通明。

光天與陰地，立便通明，
我的舊情亦復同時甦醒，
請語我，我的故人何處？
你躍躍欲動的星辰！

你躍躍欲動的星辰，
憑你這千萬點青色之光，灰色之陰，
我今猶能尋認舊徑而循行，
但我已倦於長途的馳聘。

〔9〕

但我已倦於長途的馳騁，
只自坐看那青空之間，星輝之影，
依稀地還有些兒憧憬：
這是沉靜與和平，美夢與愛情。

II

O,星星!
　　夜的眼睛!
不見月明,不見燈青,
　　只見你挺立在黑天之陰.

你靜裏躍動,
　　暗裏閃明,
你在竊竊私語些什麼?
　　彷彿混合着情人之聲・・・

O,我的星星!
　　伊人的眼睛!
我愛你這千萬點的星光
　　所幻化了的一雙瞳人!

〔11〕

夢 與 眼 淚

突然的禍患臨到了我，

　　慘見月落，燈黑，星沉，

幻影從此消失了，

　　幻想也從此斷盡・・・

III

初出的流星閃入夜景，
　流照於天幕之頂，
牠有透明閃爍的光針，
　也有輕描淡寫的映影。

我無動，我無靜，我無聲！
　就是潺潺的流水也不再揚波，饒舌的禽鳥
　　也不再飛聲，
啊，可憐我一雙潮潤的淚眼，
　行見星光快要沒入深黑的夜心。

深夜的倦星正在待命而消亡，
　我的身影已在明損暗凋地愈見狹長，
影喲，你爲甚瘦削如許，

〔13〕

夢　與　眼　淚

　你爲誰黯然神傷?

你天上的星辰,你澹白的慘光,
　你請快向雲中躲藏!
再不然,你去也,去到果園牆陰,山楂樹下,
　伴那幸福的人兒夜夜春夢.

IV

星現天半，
月上金座，
萬象透明，
一切如晤——

這樣的時分，
這樣的情趣，
她默然地如在我的面前，
實使我不遑寧居‥‥

〔15〕

V

我頓然大有厚望於點點星芒，
　於是遙遙地奔向明處，
奔到頭來，星又似風燭般的隱了，
　我逼得迷失於中途。

我旣不能達到我的前程，
　又苦於無心退縮步武，
你天上的明星，明星，
　請示盲人以歸路。

我昔曾向明星夜夜瞻禮，
　而今牠是無光無陰知在何許，
我冥想起雲深霧密之中，
　怕就是當年一天星斗的去處。

夢　與　眼　淚

我要向全宇宙再三堅說：
　我已倦於人生的夜路，
我將獨把此心訴之與日月星辰，
　獨把此言指證於皇天后土！

〔17〕

VI

多時不見了月華星辰，
　我竟病到了內心的底層，
今夜特來撥動我的睡榻，
　又復洞開了四壁的窗門．

黃昏的遠影與近景都已在我望眼，
　怪哉！今夜的流星又在明滅無定．
哦，你閃爍的靈輝喲，
　閃爍罷，閃爍罷，直往永恆！

我癡心地實想把捉住你的一道靈光，
　與你灑一回熱淚，吐一回離情，
我滿以爲佚散了的溫情與柔懷，
　或可在今宵從死灰之中復生．

夢　與　眼　淚

我癡心地方擬把捉住你的靈輝，
　一再看你當年所有的光明，
啊啊，你竟無語地不告而去了・・・
　你怎的一現而忽隱？

往日的舊境又已來在我的腦際憧憬：
　記得她那時也曾給我第一次的光明，
她的秋水盈盈的雙眸，
　看了我一眼，忽又俯視地平．

記得又有一次，星明之夜，
　她在樓窗口深深地探視我的形影，
我也無意識地舉目相望，
　她却又沒入燈滅星黑的慘境．

〔19〕

夢 與 眼 淚

這一瞥最初的光明，
　正如今夜的明滅有無的流星，
但是她有她的含羞帶笑的表現，
　你流星喲，汝今現而又隱，果何居心?

前度的現隱，
　今夜的滅明，
你們這兩個相映的對照，
　教我那得不痛入靈魂。

當年的煩惱故事雖已過去，
　此日的沉痛現實於今又臨，
啊，這故事，這現實，
　教我那得不委之於運命。

VII

慘哉！予欲無言！
自與伊人的眼睛別後，
　同形的星球也都默然消沉，頹喪！
星呀，只要你能再現一次，
　我自會覺着和她如晤一樣。

慘哉！予欲無言！
愛喲，卽或有二重的尊榮再能見你一面，
　但我這幾年來的萬千隱情，
也只能求你知心的默契，
　因爲你是聽不到我心頭沉沉哀噎的低音。

〔21〕

VIII

我身也病了，心也病了，
　今朝又是雨色灰黯，雲意憂傷，
你天上的大力者喲，
　爲甚還故意投影於我的痛瘡？

我身也病了，心也病了，
　時而無力地開窗，又無力地關窗，
白天寒窗之外，沒有春輝，沒有金陽，
　夜來也不見月華，更不見星芒。

夜深時我又睜了半醒的睡眼，
　透明質的玻窗，也還沒有射進些兒微光，
且待明朝的光明罷，
　到了明朝不知又將怎樣？

〔第二部曲〕

里門之前

里門之前

I

我夜夜只在星光之下，
　夢一般的似見你故居無恙，故人無慮；
今朝我這不甯的遊魂來了，
　纔眞認識了你所忍受的五風十雨。

大門之前的這層剝落的階砌，
　在昔是又平又滑，我所巡撫；
今也不然，重重的莓苔早發自冷石之間，
　正像青絲的藤蔓攀纏於白頭的老樹。

就是在這裏呀，
　她與我偶遊過一時，相親過一度，
我怕又從這裏，
　她也上了征途——我今獨歸原路。

〔25〕

夢　與　眼　淚

門次的老柿還是和那時一樣地紅熟，
　不知誘得了幾多過路人的覬瞻，戀慕，
我每念起那舊日門牆的可愛的友人，
　常自恨只在夢和眼淚之間訴此甘苦。

纔從門牆之內偷窺了一眼，
　駭我倒退了幾步，
場上已滋生了一叢雜草，
　草上又是一片寂靜的荒蕪。

我又閒踱到後門旁邊，
　那兒正是窗也不閉，門也不鎖，
待從破帖般的窗口一探，
　也只驚見些殘桌跛椅，灰塵蜘蛛。

夢　與　眼　淚

於是鼓一般空虛的愁心，
　時起時落地無處安妥，
萬象不自覺地還在我面前遲遲過眼：
　這是屋前屋後，那是車站草坡・・・

〔27〕

II

看呀，眼前的一片可不是連天的草茵？
　這是每朝的鮮露所由滋潤，
場上趕來放草飲露的羊羣，
　也不知已經是當日傳下的幾世兒孫。

你難道忘了麼？但我猶記得清清，
　你我有一時曾領着羊羣，有時跟着牠們，
直似忘了年代，忘了時辰，
　儼然是一派古風的牧情——

現在縱然已經時過境遷，
　心上却還時有這些故事隱然憧憬，
只是你去後，我來時，
　草上邊，蜂也無聲，蝶也無影。

III

我至今愛在車站那邊,
　那邊還是如舊地悉我留戀,
因爲第一度看見的對象,
　於今又要潛入我的意識之間:
猶記得那時是第一次相逢在江東的車站,
　你那兩顆含情的眸子向我流盼第一眼,
直到現在,你的眼睛還是嵌在我的心底,
　我縱自要忘,也是忘不了你——
　　你那第一眼!

我至今愛在姑母門庭,
　門庭還是如舊地惹我魂牽夢縈,
因爲第一度聽到的福音,
　時時刻刻在撥動着我的靈魂:

〔29〕

猶記得那時是第一次邂逅在姑母的舊家，
　你那羞怩的唇齒對我笑語第一聲，
直到現在，你的語音還有餘韻繞我耳根，
　我縱自要忘，也是忘不了你——
　　你那第一聲！

IV

我與你始終是路人的關係，

　當日我初番來此，

姑母告訴我說你我是兄妹的稱呼，

　我想你怕是纔在車站邊邂逅的那個女子。

我心中莫能自解，

　這怕也是千百年來的古謎，

我只虛對着姑母的嚴肅的面顏，

　却在橫過眼來斜睨你這可愛的紅臉。

你的深情，

　全都描畫於你的會心的笑意，

你的嬌羞，

　又全都表現於你的傳語的慧眼。

〔31〕

我心中更莫能自辨，

　為什麼和你一見即盟愛意！

或者聰明的靈魂會替我釋言：

　這是亞當時代的古情熱之遺傳。

V

愛喲,我記得你的紅色的暈輪線線,
　這是曾流過你的面頰,又流到你的耳邊,
這是最深的情意的流露,
　也不必再要什麼旁的表現.

我記得你的朱唇合得緊緊密密,
　你的趦趄的脚步不敢上前,
你的漆髮又罩住了你的怕羞的眼眉,
　——這些那些,都像很能了解你主人之意.

又記得在沉默時間你的眼臉從不抬起,
　頭頸也是失魄似的垂得低低,
說話時候又是微妙地半開半閉,
　似在偸偸地竄入神祕的夢寐・・・

〔33〕

VI

愛喲，我眞不解
　究竟這是怎樣的一種情味？——
那時你只看取你的脚前：
　　脚前的一尺土，
　　脚前的一寸地。

你可是沒有驕氣仰望天，
　天是那麼的高偉？
或則是你不好意思俯視我，
　我是這般的低微？

愛喲，連我自己都不辨
　究竟這又是怎樣的一種情味？——
那時我就貪看你的笑臉：

夢　與　眼　淚

臉上的一片紅，

臉上的一層輝。

我要看你，看你又看你，

直到我兩眼失明，化成灰泥，

灰泥原是人類始祖的本質，

死時候我終得成全造物的旨意！

〔35〕

VII

我只是渾身戰慄，滿心發顫，
　啊，終古未破的沉默，不安！
初戀式的情愛深深如許，
　只是集中於腦海心灣・・・

曾經多少次心動唇又動，
　似欲鼓勇向你把我心事自剖，
但是老人們的聰明早已道破了少年的沉夢：
　我是只會像處女一般的只自含羞而緘口。

VIII

古時曾有不知用情的童貞姑娘，
　我料想她們定是木人或石人；
也曾有只知私愛單戀的女尼，
　我料想她們定在暗自憐孤影。

一切不合時宜的舊人，
　只配相伴“過去”入墓門，
幾葉的歷史便是一個證明，
　你看罷，女尼已垂盡，童貞今何存？

你未必是智者以外的狡物，
　更不會列入愚人以下的蠢人，
你縱無一點半點的慧心，
　但也決不至遺有那古女人的鈍根。

〔37〕

但是，那時候，你我爲什麼都只是默不出聲.

　O！我的靈魂却仍隱在深處遙遙呼鳴！

牠的呼聲分明是在教我前進，

　但是"愛情"，對於弱者，畢竟是半愛半憎.

〔第 三 部 曲〕

人 去 後

人去後

I

你走了,
我猶在你背後目送你歸去,
在這獨立惘然之際,
目送着你直上前路···

你走了,
我猶在你背後目送你歸去,
在這四顧蒼茫之際,
暮天的黑色把你全部包住···

你走後,
我暗自把你的音容在我心頭描摹,
在顫聲的微笑裏低語頻問:
你往天涯何處?你往天涯何處?···

〔41〕

夢　與　眼　淚

你走後，
我暗自對你這幻影說了一聲"我愛汝"，
於是我淸聆着有一個同調的回答穿心而過，
彷彿是鸚鵡學語，空山返響，潮頭迴波・・・

II

人去後，笑聲已不可重聞於遠近，
戶內與戶外是同樣地單音，
　任憑牠春風過樹，
或則是秋聲在林。

人去也行，屋空也行，
一旦屋子倒場，主人壓死成塵，
　屋子與屋主人欲辨無從，
都只是苦憐地同此運命。

但是，我的屋子，我的主人，
我對你們只有這一片發願的虔心，
　只要你召回了一個她，
你也就挽救了我這日落的靈魂。

〔43〕

III

剛做了幾天的主客，
　今朝又要離此首途，
不留情的時間把我實逼處此，
　一分一秒的滯留都不得見許！

先別了我的故人，
　今又再別我的故居，
故居呀，已覺渺小，
　不道故人是更其模糊。

自從她悄悄地別了我與屋子，
　我對屋子的感情也失了根據，
我决心不再逗遛在這裏，
　這裏原不是什麼特許的樂土。

夢　與　眼　淚

我速步離開這裏，
　且行且把全景回顧，
臨走時的目光還在炯炯地流着最後的一盼，
　唉！以後是再見無期，只此一度！

悠緩地步到轉角，
　只見屋子露着屋頂一個，
怎的，屋子陡然冷顫，
　怎的，平明如鏡的血潮驟然生波？

重重幻滅的預感，
　終使我眼淚紛墮，
心頭的幻想，眼底的虛影，
　面前的世界，都已全盤模糊・・・

尾　曲

我曾經有這麼一個華年：

　時而眼中有霧，心頭有夢，

低徊的虛影或隱或現，

　迷離的幻象常來隨從。

淚呀——你是什麼？

　你是只能被視爲婦人的眼淚；

夢呀——你又代表什麼？

　你也只配妝點那過去的年代！

但丁死了，基茨去矣，

　今日的佛羅倫斯無復往日的榮耀，

古風的佳話不再爲後起的詩人所憶，

　這是誰的偉力？——時間的急潮！

〔49〕

夢 與 眼 淚

別了罷，心頭的虛影，
　別了罷，眼底的幻象，
只有面前的世界，此後更將分明，
　因爲這是現實，那是空夢一場！

花木蘭文化事業有限公司聲明啓事

此次《民國文學珍稀文獻集成》出版，有賴各位作者家屬大力支持，慨然允贈版權，遂使這巨大的文化工程得以開展。本公司全體同仁在此向各位致以誠摯的謝意！

由於民國作者人數眾多，年代久遠且戰火頻繁，本公司傾全力尋找，遍訪各地，能夠找到的後人，得其親筆授權者，爲數甚寡。更多的情況是，因作者本人下落不明，連版權情況都無從知曉。

因此，本公司鄭重聲明：

此叢書所錄專著，凡有在版權期內而未授權者，作者家屬可與本公司聯繫，本公司願奉送相關贈書 50 冊爲報酬，補簽授權協議。

望家屬看到此通知後與本公司聯繫。聯繫信箱：hml@vip.163.com

花木蘭文化事業有限公司

片葉

顧士傑 著

顧士傑，江蘇吳縣人。

小說林書社（蘇州）一九二八年八月初版。原書三十六開。

片葉
顧士傑著
蘇州小說林發行

瀑 社 叢 書

第 一 種

附詩歌標點法

顧士傑著

蘇州小說林書社發行

1928

目　　次

目　次

目　　次

〔三〕

序　一

序　一

美的道路，是把自然的石子甃成的．美的宮殿，是把自然的木料磚料造成的；所以至美之神，其名曰自然．

做詩的越是雕琢，越是離着自然的美有十萬八千里的路程，所以穿了珠履走那不自由的黃金道路，不如赤着脚在綠草地上跳舞．這一冊詩稿的好處，便好在赤着脚在綠草地上跳舞．

一六，一二，二九，瞻廬於正風校．

序　　二

亂草叢中開的野薔薇，一枝兩枝，三朵五朵；當着日暖風和的天氣，更顯得馳芬芳竟體，嫵媚動人，還可算得一種自然美了。還有那鄉村中十六七歲的女孩兒，有的蓬着頭，有的赤着脚；不施脂粉，不知修飾，如紅蘿蔔般的臉兒。頭上飄着金絲似的頭髮，倒也顏色分明，相映成趣。說她醜，她也不知嗔怪；說她美，她也不懂羞澀。總而言之，不論她爲醜爲美，她的姿態，沒有一分做作，完全出於自然。較那黃臉婆子，厚塗脂粉，扭扭揑揑，作盡醜態，向人獻媚的，見了眞個連隔夜飯多要嘔出

序　　二

來。這樣一比，這位鄉村中的女孩兒，天眞爛

慢。用美術家的眼光評論，總要贊她一聲自然

美了。鄙人並不是美術家，也不是文學家，對

於各種新體詩，更沒有研究過，眞是慚愧得很

！前日顧君士傑送來他自撰的一冊新體詩，要

我做一首小序；我雖然不懂此道，但是讀他的

著作，覺得他要寫什麼，就寫什麼。信手揮灑

，赤裸裸的，宛如亂草叢中的野薔薇；又如鄉

村中十六七歲的女孩兒一樣自然，一樣有趣，

所以我就把上述的話寫給他，不曉得顧君見了

，以爲對不對呢？

民國十六年十二月二十八日朱梅夢書

於鷦鷯一枝室。

〔三〕

自　序

我持着一枝笨拙的鋼筆，呆瞪瞪地望着流水浮雲，一心一意要想寫段開場白；那知惺忪無定底霞雲，狂吼不止底怒濤，無血氣的牠們竟能打消了我一片熱情。說到停筆吧，我又不甘心，無奈，只得把哽在喉間的話兒，胡亂的塗了幾行，倘希讀者指正！

這本小小冊子，是我過去生命的憤墓，雖然沒有芬芳的百合和豔麗的薔薇去點綴牠。不過，朋友，這是狹小而清靜的樂園，任您們來歌唱或是洩恨罷，我總是十二分的歡迎！

日本文學的進步，却是一躍千丈，他們的

自　　序

詩歌，多得如同空氣一般的普遍•因而有位日本詩家一芳賀笑一一說，『國民全體都有詩人氣的國，除了日本便沒有旁的了』•那種誇張話，我們聽了誰不惹氣他以管窺豹的淺識，誰不懷恨他妄自尊大的謬見，但是，一方面要毀辱他，一方面也要懷恩他，因爲譏笑的反動力確是一種興奮劑，可以開發我們研究的興趣，激勵我們創作的精神，親愛的讀者，您以爲怎樣？

再謝豐子剴先生的題字，程瞻廬和朱夢梅先生的序文以及湯增敭先生的獻詩

三，三，二八吳縣顧士傑序於黃浦江邊

〔五〕

獻　　　詩

獻——

辭別故枝的片葉，美麗的片葉，
　在輕盈的微颸中嫋嫋擺動
皎潔的明月虔誠地迓迎，
璀燦的繁星歡忭地微笑；
　擺動，擺動，擺動，
擺動到拜輪雪萊底詩靈之中。

辭別故枝的片葉，豔潤的片葉，
　在聖潔的碧空裏婼婼飄盪，
自由的黃鶯溫存地讚美，
活潑的翠雀快愉地歌頌；

〔 六 〕

獻　　　詩

飄盪，飄盪，飄盪，

飄盪到李白杜甫底詩魂之旁。

——二八元旦，增敭於海上。

〔七〕

祈禱
L.J.

給親愛的讀者

給親愛的讀者

啊！朋友，這不是戀你刺你的玫瑰，
也不是載你沒你的流浪洪水．
這是她嫩白底乳房如同花粉的珍貴；
這是她金黃底頭髮如同夕陽明的媚．
無謂的我確是無產階級中的浪漫；
至於肉和靈的愉快幸福我都沒有，
惟能把使我死灰枯槁的痛苦悲哀．
在寂靜中向着洶湧的波濤吹散，
一誠願一獻給那全能上帝造的人類！
但，朋友，你們決以我為魍魎的使者，
宣傳着死神的惡毒權威．
不！不！人生的真諦確在最慘澹的劇悲．

付梓前一日．

〔一〕

美的力

小鳥和玫瑰說：

『我有清脆的歌喉，

所以人們向我微笑。』

玫瑰和小鳥說：

『我也有芬芳的花房，

因而蜂蝶們向我舞蹈。』

河畔的蘆柴也說：

『我一些都沒有，

只聽得樵夫說，

「明天來割！明天來割！」』

弔蘇俄詩人葉賽甯

弔蘇俄詩人葉賽寗

「在這人生裏死不是新穎的，
但是生，自然也不是新穎的•」
的確，別開生面的自殺者啊！
這淒涼寂寞憂悶底生命，
這虛幻漂渺色空底人生，
死亡——生存……
確是逆風相感的浪紋，
——盈虛幻變的蟾影，
——乍明乍昧的螢燈，
——忽融忽凝的春冰，
所以沒有銳利靈敏的眼光，

〔三〕

弔蘇俄詩人葉賽甯

怎能分得清楚水天的空明。

至高至聖的田園詩人一葉賽甯！
你用着你腦汁，鮮血，
在自殺的前一刻，
痛痛快快地寫了一頁絕命的批評。
那知幾死的呻吟，
普遍了蒼茫四境。
好像空氣一般的到處流行。
風舞，瀑鳴，她們也是頌贊！歡迎！

朋友們！你須知道，
　　惟悃款款地經營，

〔四〕

弔蘇俄詩人葉賽甯

　　送往勞來地求名，
他們一一一都是殘殺自盡•
但，無益的殘殺只留得一點垢塵，
　　貞潔的危身却能永世垂名•
來是渺茫去絕踪，實在是生命的天眞！
所以我要克已願人莫爲他懊惱悲憫，
因爲，客觀者那能深察主觀的心！

〔五〕

狂　風

狂風！你吹！你永遠吹！

吹盡那飛揚的汚塵！

吹盡那懸空的浮雲！

吹盡那人心的陰毒！

吹盡那……………！

使失志的青年人，

撥開陰沉的迷霧；

沐浴於輝煌的白日！

愛之世界

愛是無界限而普遍宇宙；
愛是無歇息而四季長流；
愛是無貴賤而人類盡有，
愛是無形色而充塞虛悠。

無界限的愛像海水迷漫；
江河溪澗裏都寄他影跡：
無歇息的愛像深山無靜；
猿啼虎嘯啊接鵲噪鴉鳴、

無貴賤的愛像江上清風；

愛之世界

有生機的都能吸取無禁：

無形色的愛像一聲迅雷；

千山震撼啊再萬物動搖。

愛是無界限而普遍宇宙；

愛是無歇息而四季長流；

愛是無貴賤而人類盡有；

愛是無形色而充塞虛悠。

〔八〕

小　詩

小　詩

(一)

生命的起源歸宿，
是同一的淒寂黑暗；
走屍像隻擺渡船；
從這岸蕩漾到彼岸。

(二)

爲生活而生活，
便覺得人生枯燥：
爲戀愛而戀愛，
便覺得世情虛渺。

〔九〕

小　　詩

(三)

在窮苦困阨的當兒，

只有照上的伊向我微笑。

(四)

誰有鵜鴣的純潔，

一些不染世界上的囂塵：

朝暮逍遙於天涯海濱！

(五)

沒勇氣的自殺者啊！

　淚珠不是復仇的槍彈；

小　　詩

你在敵人的背後狂哭，

有什麽用處呢？

沒勇氣的流淚者啊！

你將要被冷酷的冰雪凍死，

何不拼着命把熱血去溶化她?!

(六)

灰白的殘雪，

怎能掩沒這大地的荒蕪？

還是用着燎火把一切毀滅罷，

待自然之神再給我們一個•

(七)

〔一〕

死——

是靈魂在曦光中洗澡？

是行屍在迷霧裏失跡•

(八)

呱呱墮地的嬰兒啊，

你莫不是爲罪惡者哀傷?!

還是惆悵着自已?!

(九)

客歲的枯柳，

已復青了；

去年的亡友，

小　　詩

何處招呢•

(十)

墓中的骷髏向着過客說道：

「昔日我風流還比你今日驕騷•」

〔一三〕

在希望的一刻

燦爛的霞雲，

熠耀的繁星；

把蒼翠的旻天，

點綴得異常鮮明。

啊啊！

　怎麼不見陽光？

　可是還在遠方？

　　好了！

　　　　　好了！

太陽快要出來了！

　　聽啊！

在希望的一刻

喔喔的雞啼，

吱吱的鳥唱。

看啊！

一縷纖弱的曦光，

漸漸移及我東床。

〔一五〕

別 T. H. 女士

朵朵燦爛底霞雲，
葉葉青翠底浮萍，
他們多麼有情，
時常結侶成羣；
優遊在天涯海濱。
啊！
那苛虐的風神！
將這難分的霞雲！
　　吹得東飛西行，
把這集合的浮萍，
　　打得你氽我沉。

別 T. H. 女士

唉——那霞雲，那浮萍！

確是你和我別離時的寫眞•

但你和我——

　　　　姑娘！

自從負笈姑蘇時互識了姓名，

隨着飛奔的光陰，

融融樂樂地過去，

我們何等地欣幸•

有喜——我們都額手相慶；

有憂——我們都不安餐寢；

　　誠摯友情，

　　相愛相親，

〔一七〕

別 T. H. 女士

我們結合着心和靈·

　　但——

勞燕分飛的期限近了，

我們將不免如霞雲浮萍，

被狂飈吹得分道而行·

　　別了；

可敬可愛的姑娘，

莫把我掛在胸襟，

我將努力底奮鬥前進，

永不負你平日慇慇的叮嚀·

我只留你一句「善自珍攝」，

在上帝面前，

很摯誠的祝你此後康泰安寧·

〔一八〕

什麼是美

(一)

燦爛底晨曦有什麼純粹的美？！

牠不過催迫着煩惱的青絲星星地花班；

靉靆底暮霞有什麼威嚴的美？！

牠不過戟刺着越軌的骷髏憬悟而懺悔。

惟有…………

栩栩如實底詩歌，

宛然有情底石婦，

牠們却是眞善的美。

什 麼 是 美

(二)

葱蘢的蔦蘿是正的美，

憔悴的玫瑰是負的美。

你怎麼這般怪僻而冥頑？

半癡半聾地不恨也不愛，

徒棄了牠們欣欣的愉快？

(三)

美能建築宏大而精緻的寃阱孽海，

也能淘汰乾坤始奠的天眞爛漫。

誰敢恭祝牠的智慧？！

誰不怨讟牠的毒害？！

我 要 問 上 帝

我要問上帝

我要問上帝

「崎嶇的世道，幾時走盡？

幸福的路程，何日啓行？」

上帝怒着臉說：

「這是你作爲的因果，

這是你耕耘的收成，

這是眞主宰的賞罰，

你寃做什麼？

誰來憐惜你寃天尤人.」

〔二一〕

公　園　中

脚底打出的曲徑，
現着蒼黑和灰白；
參差不齊的荒蕪，
只是向太陽祈禱。

手工砌成的淺池，
浮着幾小朵青萍，
忽張忽閉的荷葉，
呈露着死死生生。

上有吱吱地鳥聲，

公　園　中

下有唧唧地蟲鳴，

我依着她們拍節，

嘆了一聲又一聲。

樹枝因風吹唱歌，

唱盡生命之悲曲；

碧波因風吹畫圖，

畫出一副的亂叢。

遠遠的濃綠叢中，

巍巍的古代皇宮，

我只見今日敗落，

却不見昔時威風。

（二三）

公　園　中

我踱步向那西東，
看見丈高的土墩，
上寫着「一千餘具，
庚申殉難的骨塚.」

墓頂開滿了白花，
像笑嘻嘻地的說：
「這是再淨的一天，
也是再後的一幕.」

忽而我心波一顫，
添上了愁思萬斛；

公　園　中

幸遇多情的叫蟬，

爲我唱歸去之曲。

〔二五〕

與戀人會後之感

神祕啊！

自然啊！

相見時的彷徨，

別離時的吶喊！

夜之墓

黑黝黝裏我看見虛掩的墓門，
陰沉沉四周蕩漾着燐火星星；
崎嶇的墳道滿開着野花芳芬，
澹遠的清香永慰着長眠孤魂。

我不識墓裏的骷髏屬陽屬陰？
更不知他離棄塵世爲已爲人？
我只知死是人生最後的歸宿，
浪漫的我便是向這目標狂奔。

寒露滴滴浸溼了我單薄衣襟，

夜之墓

冷風淒淒吹破了我愁苦方寸，
繁星灼灼好像是人們的心靈，
暮氣重重假意地擁護着他們•

我想起慈母待我的一片摯誠，
言言語語叮囑我爲人要殷勤；
怎知慈愛母親希望着無希望，
像看夕陽西沉再被黑暗滅吞•

隔岸夜鶯哀啼着生活的苦悶，
嫩綠的草樹悔受那風打雨淋；
忽然我心裏流露着偉大微笑，
覺得有生機的總是煩勞生存•

〔二八〕

夜　之　墓

疲倦了便在墓畔行行重行行，
洋洋自得地喊着無諧的歌聲，
不料這能淘汰寂靜的煩惱像，
靈魂在曦光中受聖禮而慶生•

忽地裏虛掩的墓門撲然一聲，
朦朧中躍出一個白衣的女神；
她說「去！去！這不是你的歸宿，
怎麼忽喜忽懼地擾亂我清靜.」

〔二九〕

玫　　瑰

可愛的玫瑰！

可戀的玫瑰！

我愛你——

嬌豔的容顏，

甜蜜蜜地向人含笑；

我敬你——

慷慨的柔懷，

肯把你花房裏的芳芬，

讓與那蜜蜂們餐饟；

玫　　瑰

我悲你——

命薄紅顏，

向榮一瞥

啊！轉瞬落英繽紛了，

祇聽得杜鵑血啼；

我望你——

魂兮倘在，

時常到我夢裏，

慰我滿腹芥蒂。

〔三一〕

虛幻的狂吻

勃萊福特著

她初吻着我爲了應接的禮待，
無意的再吻便產生了戀愛，
這是我無上的甜蜜，
更沒有旁人向他求媚！

虛幻的狂吻是必須的，
像那秋葉般的零落而枯萎，
但，因了戀愛便把禮儀冷淡，
最後——一切都化了虛幻。

紅　　　淚

我醉在寂寞曖昧的杯中，
濃厚蜜汁凝住了我心空；
迷迷地難分天堂和地獄，
只是隨着主宰描寫幻夢；
手持煩惱的筆劃着血紋，
條條血痕啊含追溯苦痛。

過去的心像哀號的寺鐘；
衝破了沉默更穿過密叢：
現實的心像深夜的杜鵑；
借着月光咒詛懺悔經誦：

（三三）

紅　淚

未來的心像震嶽的大山；
死靜後便剩得崩裂罅縫。

懦弱的我要向命運進攻，
宣誓把烈火對死城猛轟：
殘殺荆棘裏的吃人蛇蝎，
將枯涸的沙漠變成通紅；
趕逃那自輕自卑的蝶蜂，
更灰燼引人入迷的魔宮。

生命之火不怕白浪洶湧，
炫耀世界只要化被輕風，
飄飄渺渺的充塞着無形，

紅　　淚

跨過了江海復吹遍蒼穹；
雖有飛毛脚揑着永明燈，
但，千里遙遙啊總難相逢•

咳，生命之火不必論業洪，
堅厚的地殼要把你你罩籠：
不如利用着罪惡的遺物，
鑄成那赤血喧染的警鐘，
鏜鏜的洪聲嚇退了魑魅，
神祕之音傳遍南北西東•

湖中反映者那月色融融，
墓畔鋪滿了冷紅的落楓，

〔三五〕

紅　　淚

絲絲星光有如淚落泉湧，
對面高山氣得悶聲不動；
爭自由的秋風殘殺一切——
殘殺啊一切倒立了奇功。

啾唧難訴只是泣月秋蟲，
短促的生命被狂飈吹送，
流動的暮霧冷笑她愚昧，
巍巍江山說她無地可容，
傷心的我再不忍去沉思，
想已想物啊都落在浮空。

〔三六〕

小　　　詩

(一)

大自然的詩人，——

溪流——塔鈴，

點綴的不過荒蕪苔境，

嗟嘆的只有孤雁失羣。

(二)

Bucchus 啊！

　你爲什麼灌醉豺狠的人們!?

　却不顧飄泊者的傷心!?

　我不說你沒有公平，

〔三七〕

小　　詩

我只恨你公理無眞•

(三)

藝術家 ——

任您有活潑的手腕，

但，純白的潔紙，

總是被您玷污了•

(四)

月姊，在淒涼寂寞的深夜，

受了多少情人的熱淚，！

(五)

小　　詩

朋友呀！

你知道那——

一擧一動，

一言一笑，

都是你的催命符呢。

(六)

啊，我知道了！

煩惱是慾望的青年期？

罪惡是慾望的壯年期？

死亡是慾望的老年期？

自今後——

我便「立正」，「向後轉」。

〔三九〕

小　　詩

(七)

手帕上的淚跡血痕，

誰能辯得是她？是他？

(八)

伊臂上的手表，

的搭的搭的說道：

「時間無量而生命有限，

孽海難渡而愛河易涸；

普天下的多情人，

成眷屬者有幾何？」

(九)

小　　　詩

嬌豔的花兒——斷枝的玫瑰，

　怎能想得到明天的憔悴。

（十）

謹愼——

　靈台上的心燈，

　要把牠的光明去驅逐黑暗，

　不要使黑暗來湮沒牠的光明。

〔四一〕

懺　情　詩(二則)

(一)

撲火自滅的狂蠹，
　你却是我的寫真；
縛繭自斃的蠶蛹，
　你也是我的背影。
　　唉！
失足長恨的我，
　命薄如春冰，
　祚稀如流雲。
邐迤在岭峨的峭巖，
逍遙於幽黑的深淵。

懺　　情　　詩

濃厚的迷霧，

湮沒了我前程的光明•

不絕如縷的嗟嘆，悲鳴，

如顛似狂地自怨自恨•

但……………

醉夢未盡，

幻想未清；

心朦朦兮猶未察，

志懮懮兮尚未明•

(二)

夜深人靜的當兒，

輝煌炫耀的明月；

〔四三〕

懺　情　詩

高懸穹旻，

惺忪無定•

多恨的月姊說道……

「這是世所公有的明鏡，

為什麼你不照照呢？

看您！

和靄的朱顏忽而變爲枯委底槁木；

光澤的黑髮忽而變爲星星底蘆花•

我不知……

你憔悴爲誰!?

更誰使你憔悴!?」

我聽了，

把頭兒垂，淚兒彈•

懺　情　詩

長嘆短吁的呻吟，

似乎忠忠誠誠地向月姊懺悔。

〔四五〕

詩　　人

(一)

詩人啊，詩人！
看明那——
窈窕的麗姝，
娉婷的尤物，
這都是獄裏的醜影；
誘人的陷阱。
　　——誠願你——
看破：幻夢的空，
拋棄：愛戀的色。
始不負你昂昂的器宇，

詩　　人

堂堂超衆的才華・

　　當心！

切勿把光明的志氣，

湮沒在巾幗的花粉・

(二)

詩人啊，詩人！

　　起來！

把你鮮紅沸騰的熱血，

去灌漑那枯槁的古樹；

再把你敏靈捷速的腦汁，

去醫治那瘋顚的頑思；

更把你勇猛剛强的志氣，

〔四七〕

去吹破那世界的混沌

　　這是…………

　　　天責！本分！

(三)

詩人呀，詩人！

認明那——

富，貴，權，勢，

乃是庸人的囹圄：

氣，鬱，憂，嘆，

乃是愚人的網羅。

你不是這種無爲的蠢蟲，

向前奮鬥！

詩　　人

努力前進！

去，去，去！

拜別爺娘，

背離故鄉，

不要管萬里重洋；

為羣衆犧牲，

做後覺的導嚮！

〔四九〕

詢　　疑

詢　　疑

我仰瞻穹旻問着繁星，

　那處容我鍾情——純潔貞情？

不聞答覆但覺蒼空輕清幽冥，

　　　輕清幽冥！

我俯瞰塵世問着滄海，

　結侶成羣的鼬鼠爲誰往返？

不聞答覆但覺得大地重濁醇醉，

　　　重濁醇醉！

唷，我有明亮底泪踪贈他！

〔五〇〕

詢　　疑

更有淸脆底歌聲媚他！

唉，醋醉生幽冥恰巧我都沒有，

啊，生命之神，我的死灰殘生！

【五一】

散 文 詩

虞 山 遊

仰望巍巍虞上塊塊灰褐的石子，像那流浪般飄泊朵朵蒼白的浮雲；更有破絮般的殘雪，又似給虞山披上一件錦繡的花衣•金黃的夕陽，有氣無力地射破了人間的囂塵•我們慢慢地踱步向上只見參差的人影在崎嶇的山道上搖蕩•

山脚下的壘壘荒塚，只有枯萎的斷枝凋落的紅葉緊緊地擁護着墓裏的骷髏•陰沉沉的寒風•震顫着殘枝，枯葉，發出了一種神祕的凄寂的聲調，好像說：「我們應當須臾不離啊，

虞　山　遊

因爲我們是同一的旅客，共一的歸途•

荒廟裏的古鐘聲聲，陣陣地傳到蒼茫四境，似乎催眠着大地沉醉，甜睡•滔滔的湖水，冥頑的小鳥，她們一一地收住着無譜之曲；遠遠地點點的烏鴉，也是競趨歸宿，只有我們飄零者啊！仍是向上狂跑，狂跑！突然走過南方夫子的聖廟，很狼狽地不敢一忽回首，恐怕他的幻靈在空霄鑒察，譴責我們變態式的自殺糜費那不可多得的生命•後來我們直立在山巔，只見曲曲的城牆橫臥在山的腰間，真像天際的長虹，明明地畢現在我們的眼簾•

不一忽，烏黑的暮霞佈滿了蒼穹，曖昧的濁氣籠罩着大地•朦朧，朦朧，朦朧，朦朧•

模糊人們的心靈；只有幾點熠耀的殘星，略略地放出幾縷微弱的光浪。無奈，戀留不捨的虞山，只好和牠悒悒的別去。

破 碎 的 心 瓣

破碎底心瓣

雖然，哥哥，妹妹，您們底嫩綠的心苗漸由青翠而灰褐而蒼黑，像生命的路途從渺茫裏來向空空中去。但，您們仍應該專心專意專情地去悲憫牠憔悴的美。

雖然，哥哥，妹妹，您們底鮮豔的心花也由含苞而開放而殘敗；像情女的蜜淚灌溉着枯槁的凋葉。但，您們仍應盡日盡年盡生去愛護牠自然的眞。

——願人們犧牲各自的永不枯萎的破碎的心瓣，織成一朵烏雲似的錦花，獻與那不死不滅的愛神，掛在伊的胸間！爲普天下多情人造

〔五五〕

破碎的心瓣

一個絕大的碑銘·

因爲破碎底心瓣呀，是人們戀愛的遺物！

愛的炸彈

愛的炸彈

愛喲，您把連年積月的一顆愛的炸彈，今天突然地暴發在我心內；可喜那汚濁的心宮，成了一片灰燼：可憐那生命的殘燈，也因之而暗昧。雖然，這個創痛終難復元，慷慨的死神却是給我一把斷割愁思的慧劍。

怕，有什麼怕？憂，有什麼憂？岑峨的石巖，總有一日崩裂；泱漭的大水，也有一天枯涸。不知趨往地短促的殘心，任是崩裂罷。枯涸罷！有什麼懊惱！煩悶！

的確，愛像蔓延的荊棘，牠能很多情地牽掛我，牠也能很陰險地針刺我：愛也像甘味的

〔五七〕

汁酒，初飲着是多麼歡欣；那知縱飲者便沉溺在這杯中：愛更像高大的囚籠，束縛着人們的思想，撲火自滅底顚倒者，誰能覺得身臨深淵，足履薄冰。

好了，好了！愛的炸彈暴發，灰燼了刺人的荊棘；乾涸了醉人的迷酒；毀滅了囚人的牢獄…… ……

頌讚！頌讚那涸而復萌底花蕊！

祝福！祝福我死而重生底生命！

歌 舞 場 中

歌 舞 場 中

在那裝飾美麗的歌舞場中，坐着一羣尋求甜夢的癡人，慘白的電光缺射着他們塗粉的面盤，有如塊塊的死色的碎骨堆砌在亂草叢中•

忽地裏，突起了陣陣柔軟的清脆的夫婦音樂(指凡啞鈴和鋼琴)，衝破了一片沉默幽靜•全場的你你我我都含着偉大微笑，似乎表示各自的心波，湧起了緊摺的縐紋•

正在音樂愈奏愈急的當兒，鏦鏦錚錚的響亮裏頓起了一陣輕細的整齊的合音樂的脚聲•那時三三五五的花容姑娘，載奔載舞地在場中

演技•有時面面相向地對舞像纖細的柳條在微風中蕩飄：有時挽臂吻頸地雙舞，更像多情的狂蝶盤旋在花叢中間•

一切一切都極精細地來表示她們藝術的曲線•忽而悅耳的歌聲靜了，眩目的舞蹈也定了！

熱鬧的舞場中，仍是充滿着凄涼寂寞的空氣•

唉，無謂快樂的後面，總追着愁人的煩惱•

一個不知吉兇的嬰兒，在慕母的懷中狂哭亂跳•

好像說：

中塲舞歌

「朋友呀，朋友！你須你道！

戀愛是煩惱的青苗，

快樂是罪惡的陷阱，

被奢華摧眠的羣衆呀，

死神肩着明幌幌的鋼刀，

正在你背後追趕呢•」

附詩歌標點法

顧士傑編

〔六二〕

詩歌標點法

小　引

標點是指示句法的構造，也能輔助讀者的悟解：詩歌是再活潑，再精壯，和再綺麗的一種文字•從這樣看來，詩歌的標點，其重要可想而知了•讀外國的詩歌，他們所用的標點；覺能借之而寄寓詩意，或能因之而增加詩美•於是覺得詩歌標點有研究的必要•所以我抽取一些課餘之暇；參攷了許多關於新式標點的書報，羅集了許多近代詩人的傑作，以及古代著名的白話詩歌，做我寫這篇詩歌標點的證據•

詩歌標點法

有志研究詩歌者，不妨來參攷一下。

士傑寫於滬江大學。

標　點　目　次

標點目次

(1)　逗號　，

(2)　支號　；

(3)　冒號　：

(4)　句號　●

(5)　問號　？

(6)　嘆號　！

(7)　轉號——

(8)　括號(　)

(9)　引號「　」

(10)　缺號……

(11)　專號(名詞號——)(私名號~~~~)

〔六五〕

詩歌標點法

(1)逗號

a. 短頓——在長的詩句中，用以表示最短的停頓•

有一美人兮，見之不忘•
一日不見兮，思心欲狂•
鳳飛翺翔兮，四海求凰•
無奈佳人兮，不在東牆•

張　生

b. 名詞——在一個名詞下面，若是有句詩來表示牠的動作；不管這句詩裏有沒有代名詞，我們都可以

詩歌標點法

用逗來分開牠。

賣炭翁，

伐薪燒炭南山中。

愛情呀，你替我回話，

我怎麼能把她放下？

朱　湘

c.疊句——逗可以分開一句中的許多名詞

或是許多短句。

我呈上贄儀，

這些是地上所搜：

珍珠梅，碧桃，

木筆，梨花，與繡球。

朱　湘

〔六七〕

唉！我願到野地，

去掘一深坑，

預備我休息，

不願再偷生。

王獨清

d.嘆字——在柔和的感嘆字下面，我們當用逗來替代感嘆符。

唉，泥上的脚印！

你好像是我靈魂兒的象徵。

郭沫若

e.引號——在引號的前後，我們總用逗去標點說。

我說，「我把心收起；

詩歌標點法

像人家把門關了，

叫愛情生生的餓死，

也許不再和我爲難了•」

他說，「我是關不住的，

我要把你的心打碎了！」

胡適譯詩

f.省字——用逗可以指明沒有透達意義的

詩句或是不完全的句子•

我想他們此刻，

定然在天街閑遊•

不信，請看那朵流星，

那怕是他們提着燈籠在走•

(註一不信他們在天街閑遊)

〔六九〕

詩歌標點法

郭沫若

g. 引句——關於時間性的引句，以及他種不獨立的引句；我們常用逗去標點牠•

在靜寂寂的月光之下，
羞答答的不怕人知道，
我拋開他們一切的羨妬和嘲笑，
從心坎裏摘了這朵花獻給你•

王統照

(2)支號

a. 駢句——凡是一首詩中，裏邊有很長的詩句，包含了許多詞異旨同的短句•那種相類的短句，我們

詩歌標點法

應用支號去分開牠•

你若賞給我快樂，

我就快樂死了；

你若賜給我痛苦，

我就痛苦死了；

死是我對你唯一要求，

死是我對你無上的貢獻•

聞一多

b.引意——凡是一段小詩，一句中有二層要義：一作引意的，一作主意的，我們應用半支點去分開那引喻和主意•

月呀，你莫明，

〔七一〕

莫明於半虛的巢上；

我情願黑夜，

來把我的孤獨遮藏·

朱 湘

c.疊意——凡是一句詩中，二層主意是對立的，相並的，比較的；我們都可以用支號去分開牠·

上面是天，

酪色的閒雲滑行；

下面有蜂，

射過尋蜜的呼聲·

朱 湘

地球平穩地轉着，

詩歌標點法

一切的都向朝日微笑；

我也不是不會笑，

淚珠兒却先滾出來了・

聞一多

我把酒和茶都戒了，

近來戒到淡巴菰；

本來還想戒新詩，

只怕我趕詩神不去

胡　適

(3)冒號

a.長引——凡是長的敍述，或長的引據；

我們總該把冒號用在引句的後

面・

〔七三〕

總是無安睡處：

綠洋之底？

花巖之腹？

過於深浸與過於甜蜜，

睡在何處啊？

在疏鬆的髮裏吧•

王統照

輕風徐來，

彷彿牠微微笑：

「今日花正好，

明日花已老•」

曼 尼

b. 說明——凡是一首詩中；上半句爲敍述

詩歌標點法

，下半句爲說明或解釋；我們

應用冒號在其中間•

烈日下我不怕燥熱：

我頭上是柳陰的青帷；

曠野裏我不愁寂寞：

我耳邊是黃鶯的歌吹•

朱湘

(4)句號

a.段落——我們用句讀點來表示一層詩意

的盡處•

朝思出前門，暮思還後渚•

語笑向誰道，腹中陰憶汝•

子夜歌之一

〔七五〕

詩歌標點法

(5)問號

a. 詢問——凡是疑問口氣的詩句，我們總應該把問號放在語尾。

前有億萬年，後有億萬世。
中間一百年，做得幾何事？
又況人之壽，幾人能百歲？
如何不喜歡，强自生憔悴？

邵 雍

b. 疊問——若是一個問句裏，有幾件疑問事；那末，每一件事我們都可以放一個問號在牠後面。

前面是虛渺的黑暗，
後面是虛渺的黑暗，

詩歌標點法

頭上是悽風烈雨和閃電，

脚下是蛇蝎與遍山的荆棘•

妹妹！我那裏去？

流浪？討飯？做工？當娼？

白薇女士

c. 狐疑——時有疑問的詩句，沒有疑問的口氣；不過後面一個問號來表示牠是疑問•

啊！零落底悲哀喲！

是蜂底悲哀？是花底悲哀？

聞一多

(6)嘆號

a 猶豫的，譏誚的和動情的詩——凡是動

〔七七〕

情的猶豫的譏誚的詩句，無論
是一字一句，我們都可以放一
個感嘆符在下面•

我們神祕呀！
我們神祕呀！
一切的一，神祕呀！
一的一切，神祕呀！
神祕便是你，神祕便是我！
神祕便是「他」神祕便是火！
　火便是你！
　火便是我！
　火便是「他」
　火便是火！

詩歌標點法

翺翔！翺翔！

歡唱！歡唱！

郭沫若

太陽喲！你請永遠照在我的面前，不

使退轉！

太陽喲！我眼光背開了你時，四面都

是黑暗！

郭沫若

b.嘆字——凡感嘆字的下面，我們總該有

一個感嘆符；例如「啊」,「唉」,

「哎呀」等字•

啊！那顆大星兒！嫦娥底侶伴！

聞一多

〔七九〕

c. 重疊的感嘆句——凡重疊的感嘆字，或重疊的感嘆句，若是牠們連在一起；我們可用逗去分開牠；只須用最後的一個嘆號•但是，我們也可以在每字或每短句後•用一嘆號，如果牠每字每句都有情感的流露•

啊啊！不斷的毀壞，不斷的創造，
不斷的努力喲！
啊啊！力喲！力喲！
力的繪畫，力的舞蹈，力的音樂，
力的詩歌，力的Rhy thm喲！

晨安！華盛頓的墓呀！林肯的墓呀！

詩歌標點法

Whiteman 的墓呀！

郭沫若

(7)轉號

a. 轉句——我們可用轉號來指示句法的突變・

新秋之林，帶來心的顏色與地獄之火

燄，使我欲安頓在蒼苔陰處之魂，

又被格落之聲驚散，——啊決鬥者

劍聲・

李金髮

燈火透進窗內，

似來呼我——

不，

〔八一〕

詩歌標點法

已輕輕隱去•

侍鷗女士

b. 插句——我們可用轉號來替代那括弧所分出沒有系統的插句•

怕是因，——倘不是閒話一你娘的嚴命能？

這是我常常在心裏自解的•

可是我終不敢相信我猜的中啊！

因爲，我想，眞情人必不因外力而移動呵！

梁宗岱

c. 音節——我們可用轉號來標明詩的一種音節•

詩歌標點法

見趙景深新式標點用法詳解。

生離——

是朦朧的月日，

死別——

是憔悴的落花•

冰心女士

d. 進止——轉號含有進止的意思，好像有

人寫1——100：但是，我們看

到詩裏，也是一樣•

送信者

這是多大的使命呀！

人們的安慰在你底身上——脚底•

郭紹虞

〔八三〕

(8)括號

a.解明——往往有一二句依賴上文而存立而不獨立的句子，牠只能更一步的來解釋上文的敍述，我們儘可用括號於其前後•

盃盤狼籍在案上，酒罇睡倒在地上，
醉客散了，如同散陣投巢的烏鴉；
只那醉得最很，醉得如泥的李青蓮，
(全身底骨架如同脫了榫的一般)
還歪倒倒的在花園椅上堆着，
口裏喃喃地，不知到底說些什麼•

聞一多

(9)引號

詩歌標點法

a. 成語——凡是引用古人的文章，或是借用前人的語言，我們都該放引號於其前後，以示鈔用。

說什麼「情瀾愛海終須竭」

說什麼「愁梗歡苗容易萎」

說什麼「落花流水之春盡」

說什麼「溝水東流又到西」

這都浪蕩的芳年不做美，

直到華髮飄蕭才來自解圍。

白薇女士

b. 專門詞——凡普通字用為專門詞，當以引號別之。

現在不是「現在」麼？

〔八五〕

將許多零零碎碎的「現在，」

集成一個大「現在」，

豈不是更有意義？

朱 湘

c. 引號中之引號——若然我們引用古人的成語；不過成語裏還有一個專門詞；那末，我們應用雙線括弧於其外面，單線括弧於其裏面。

大年夜頭巧梳妝

換好子奴奴嫁衣裳；

『牀面前一樣一對「成雙燭」

紅蠟燭前頭影成雙』

詩歌標點法

O M

b. 直接語 ——凡是直接的語言，我們都該用引號於其前後•

陽光穿進石隙裏，

和極小的刺果說：

『藉我的力量伸出頭來罷，

解放了你幽囚的自己』！

冰心女士

(10)缺點

a. 缺意 —— 凡是一首詩歌的盡處作者以爲詩思未盡，有意使牠露出耐人尋味的樣兒：那末，可用缺點來表明缺意•

〔八七〕

詩歌標點法

正在這時期之開始，

我心頭有搖動的火光，

如臨流燈塔之明慧，

暖我無血而勁健四肢•

………………………………

李金髮

b. 拖音——凡是一個字的下面有了缺點，

這便是表明牠音的延緩了•

嗡…嗡…嗡…聽聽唱的什麽

是花色底美醜？

是蜜味底厚薄？

是女王底專制？

是東風底殘虐？

詩歌標點法

聞一多

(11)專號

專號有二種，一曰書名號，一曰私名號・

a. 書名號

殘山夢最眞，

舊境丟難掉；

不信這輿圖換稿，

謅一套哀江南，

放悲聲唱到老・

b. 私名號

建帝飄零烈帝慘，

英宗困頓武宗荒・

那知還有福王——，

〔八九〕

詩歌標點法

臨去秋波淚數行·

秣陵秋之一段

本社最新出版兒童[illegible] 著者

書名	冊數	定價	著者
小鷄和敵人	一冊	定價二角	許觀光
三個小蜜蜂	一冊	定價二角	朱震西
穠李豔桃	一冊	定價二角	錢壽崧 李亞仁
桃花源	一冊	定價二角	蔣永貞
國魂	一冊	定價二角	丁重宣
嫦娥	一冊	定價二角	胡贊平
小雁	一冊	定價二角	許觀光 朱震西

民國十七年八月初版

片葉（全一冊）

（定價大洋二角五分）

編著者 顧士傑

發行者 葉文彬

印刷者 蘇州西中市 文新印刷公司

總發行所 蘇州觀前 小說林書社

分發行所 蘇州 商務書館經理處 平江書局

代售處 各省各大書局

流波

趙林少 著
作者生平不詳。

民治書店（上海）一九二八年八月出版，
一九二九年三月再版。原書四十開。

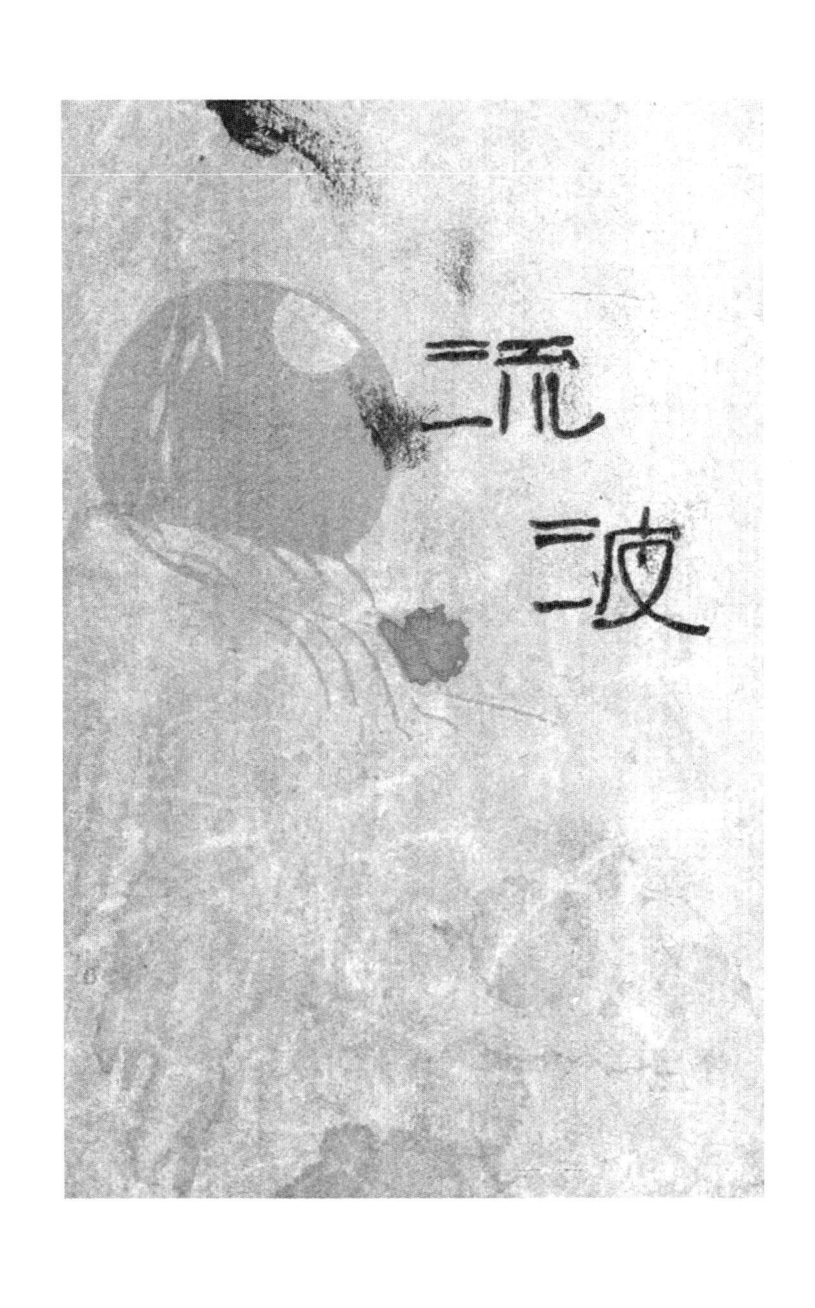
流
波

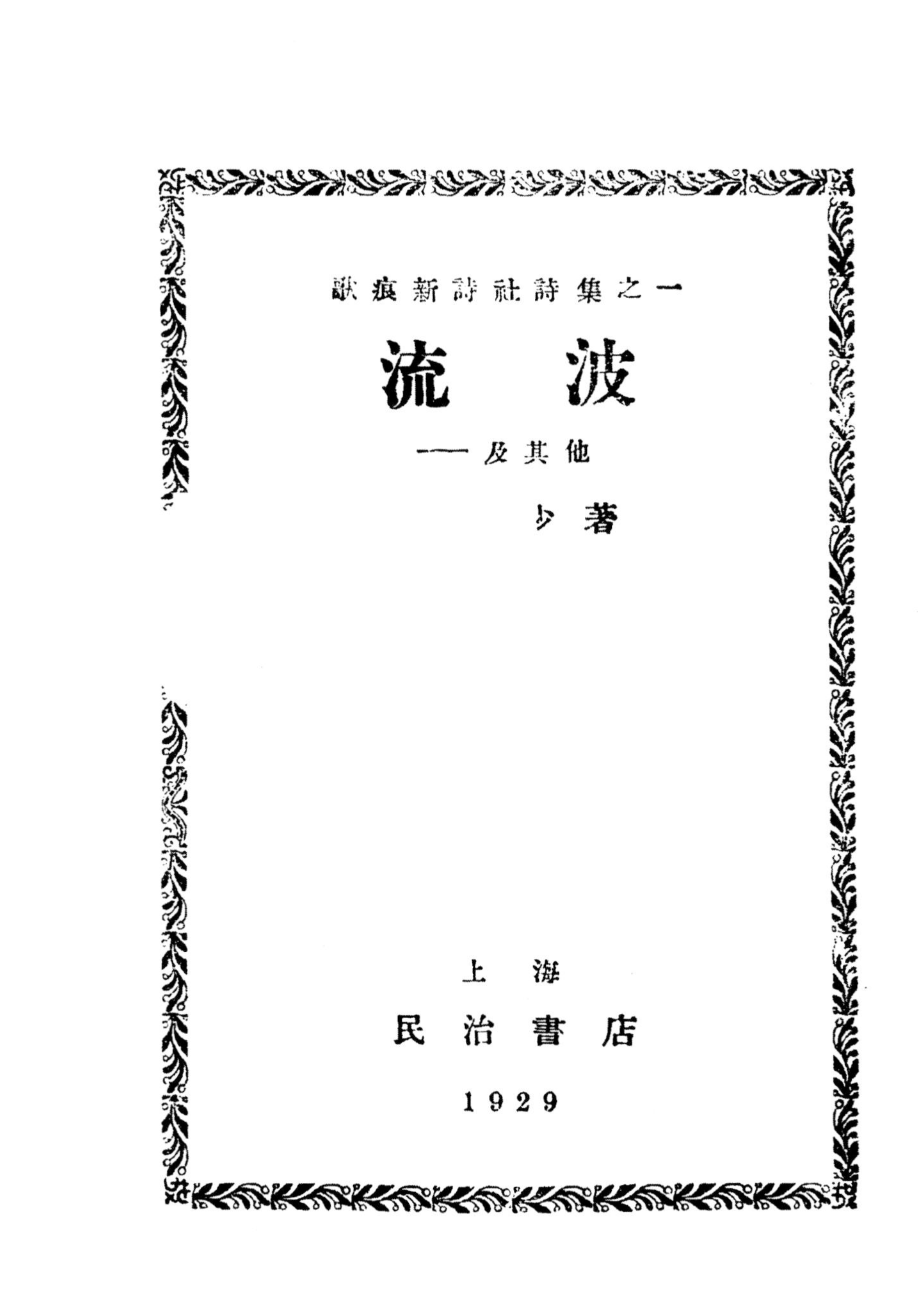

歌痕新詩社詩集之一

流　波

——及其他

少　著

上　海

民　治　書　店

1929

8 1928 出版
3 1929 再版
1000—2000册

〔實價大洋二角〕

上海民治書店印行

閱者鑒之

我們是一員生命界裏的旅行者,自然樂園裏的吶喊者,所以當我們情緒緊張的時候,就把心腔裏的火燄,向著白紙上面燃燒著。

把我們的足痕,在文字裏邊表現出來;將我們的思想,向著自然的樂園進攻;拿我們的情緒,做著變相的呻吟!

只有牧童的唱歌,纔是聰明,人眞能了解人生觀的時候;我們雖不是聰明的人,但是也要求自然的漿汁灌溉枯澀的心靈;也要求遺洩胸中蘊聚的抱負。

— 1 —

我們雖不敢承認是詩人,但是的確承認是一個歌童。爲了要求自然的漿汁來灌溉枯澀的心靈,和遺洩胸中蘊聚的抱負起見,所以我們承認是生命界裏自然園裏的一員樂天歌童。

我們的使命,同一樣的站在詩人所宣誓的裏邊,所以我們的態度和詩人一樣的誠摯。

記得在十四年我和吳南嘉幾個同志,在蘇州設立了一個新詩社 —— 厥名歌痕,是個純粹研究詩的文藝機關。在下一年 —— 十五年 —— 的春天,就發刋了一張'歌痕週刋',爲了經濟關係,是附在旁的日報上出版的。牠的內容完全是把我們的作品,介紹給一般喜研究文藝的先生,批評和指教。

自從'歌痕'出世以後,居然能夠得到許多人的同情,而加入我們的樂隊。——這是一件使我們感受到很有興味的事!

詩的註解,簡單概括的說來,就是'韻物'兩字;我們爲了作品有唱的可能,所以也就厚著臉稱之謂'詩'!

總之我們是出於至誠的要把自己的作品,拉在詩境裏邊膏沐——這是向著前看的志願,可惜現在是不能實現。

後來受了環境的驅遣,同志們都爲著麵包而風消雲散了,誰再有精力顧及到'歌痕'! 所以附產的'歌痕週刊'也就因而夭逝。

'歌痕社'至今雖有三年的歷史,講到工作方面,委實是令人有慚汗直流之慨。不過要論到純粹刊載新詩的報紙,'歌痕週刊'或許可以坐在數一數二的位子上面。—— 這一點聊以安慰慚愧的心靈!

雖然我願意把我的詩做成變相的歌調,但是我極端反對受那韻脚拘束之遺毒,我們要用自然之韻,反對刻版之韻,否則我們的天才喪失得太大了。

—— 八 ——

現在我把一些舊作,同了一部分的新作,聚集起來,組成了一册小小的'流波'。

朋友:請你們放出準確的眼光,學者的態度,研究的心理,老老實實的在劣根點上指教!批評!

如有通信商榷的必要,請函致本書店轉交。再會!

——林少寫於三十,五,一九二八。

目　次

— 1 —

謹獻給自然界裏的同情者

流　　波

星火烱烱爍爍滿懷抱，
心竅深處的熱情欲燎；
焚去了一切的綺思，
更拋去一切的煩惱；
此願難伸，此志難遂！
終於在腦府裏盤旋回繞。

說不盡的從前！
想不完的明朝！
清風在樹梢上飄颻；
明月在天空中皎皎；
我不願領受風月的洗禮——
因爲可殺的風月終使我中心如擣。

— 1 —

百媚生的回頭笑,
是宰割心靈的殺人刀!
一時記不起的朱唇味兒,
都做成今日淚珠的資料!
怎忍再見那放在箱裏的小弓鞋?
不是紀念是煩擾!

靈海裏掀起了萬丈的流波,
一切都付與流波了!
心香一瓣,付與同道,
獻與元玄,任它潦倒!
從此青雲紅塵俱杳杳!
但願嫩紫嫣紅成縹緲!

——作於蘇州。

公園夜月

山凹深處躲了驕陽,
這是什末時光?這時光 ——
暮色沉沉黑幕高張!
微風裏,吹去了暮色的暗芒。

光兒怎樣長?光兒怎樣亮?
彩色四溢,欲溢銀潢!
一天紛華,雲姐兒相伴,
映出了幾何彩瓊的彤章?

晚霞零亂照著翠窗,
酥胸凝露,嬌嬌無力試新妝!
垂陽底頭候情侶,
靜待月光上雲岡。

心靈兒徬徨,
心潮兒興浪;
萬籟有聲,細語參商;
一片月色如蓋霜!

今日月下步月人,
又有誰想到世事的滄桑?
微風能够吹去暮色的黑罩,
終於去不了悵悵惘惘的胸腸!

——作於吳門公園之鐵欄。

給素心人

——請別委曲吧——

心坎裏懷著的眞誠熱情爆發了!

腦海裏深藏的紛紜思潮湧動了!

眞願聽那四周叢生的蜚聲;

更願聽那醉生夢死的譏聲;

啊,雨後嗎?不,

雲斂雨霽了。

我愛:這是我們所盼望的呵,

啊,眞的,眞的值得人們如此的注意嗎!

我愛:有什末悵惘?有什末傷心?

這是應當感激這輩鄙婦式的人喲!

我們是擁護誠心;

我們是抱摟眞情;

事之是非,優勝,

—— 5 ——

不在此時定論!
啊,無上的素心人:
快快收你淚縱橫,
有什末悵惘?有什末傷心?

薄創

幾番斷腸，
一瓣心香；
願將性靈貢獻給上帝裁判！
願將性靈貢獻給禮教評量！
裁判吧！評量吧！

我是世上的罪人，
曾經嘗過嬌眸下的甜密之湯，
偷呷過愛河裏的波蕩。

唉，一層一層的過去，
借那他人的唧唧聲浪——
心坎上薄薄的負了一層薄創！
喲，我都明白了，

— 7 —

這麼,這麼的周旋,
本來應有這末一場!

客途的春意

——戀曲之一——

春去了，

意灰心擾！

迷了尋芳路，

登了拾翠橋；

山徑蹊蹺，

野藤將人繞；

閒卉把人撩；

眼前的浮霞，

都是天上的雲鳥。

啊喲——

意馬心猿了！

玲瓏一聲，令我魂消；

曲徑周旋，
這篇帳兒幾時了？
無言可貢，
稱聲美多嬌！
只因客途太匆促，
不能同去度元宵！
無聊的春意，
終於添了一重煩惱。

——作於靈巖山麓。

心曲唱了

夜雨密密灑紅欄,
雨聲點點滴滴驚深閨;
芳魂遠飛難入睡,
這個樣子的孤淸更漏殘!
——叫人怎樣睡?不能睡!

冉冉的風塵,
誤人靑春!
嬌嬌薄瞋,佼佼淺顰,
恨到了地角,氣到了天垠,
蒼蒼永負有心人。

湖畔的紅蓼,
雲間的孤鳥,

—— 11 ——

——和一切生物界裏底同調;
願衆生把許多都丟掉,
擁抱起來歌躍!
我早已——
心聲之曲唱了。

——作於夢回初醒時。

秋　風

飆風把那桂子香味一陣陣吹來
把我甜蜜而愉快的幻想飄開,
勾起了我的無窮感慨。
淪落天涯,眞無聊賴;
惱人時節,能與誰談?
過去未來——
一切聚訴於我的薄弱腦海;
傷心煩惱——
一切摧殘我的破碎心坎。
香飄何處,葉落何所?
同是天涯,傷心失意的人兒何多?
我終於明白了,
秋風不是安慰我,
安慰的人兒在何所?

—— 13 ——

在何所!

前塵

朝朝夕夕的坐臥不安,
向著誰人說寸衷?
恍惚的抱著纖腰,
境朦朧,癡人說夢!

神經衰弱變癡聾,
喚嬌娘,抱著路旁的翁仲!
對著飛繞紅鐙蛾,
說了一番相思;
兩眼淚濛濛!

人笑癡,我亦笑人癡,
花更笑人癡—— 美色花紅——
這都是欺騙的成分去權充,

—— 15 ——

這都是囚困人類的牢籠!

綺情風流前塵事,何必想起?
一朝身登骷髏宮,說甚可愛玲瓏?
且看一百年前,何來前塵事?
人生不如青松,只如一陣風!

人生如風,愛戀如夢,
前塵打從那裏說起,不如夢!

落葉時節欲斷魂

喜怒,哀樂,愛戀,憎恨,
把一切去欺騙幼稚的人生;
是春夢,是華雲,
做的是提線戲,夢也難做成!
美貌的人兒生傾城,
深深成了人們心坎的創痕.
換了幾何徒喚奈何的呻吟!
到這時——落葉聲聲——
落葉時節欲斷魂!

見了一天晚霞,勾起前朝事;
燕子樓,秦淮河,徒呼眞眞!
人杳樓空事遷境,
六朝金粉何處尋?

世間只有天負人!
不應自認人負人!
這時節,心弦動了,落葉聲聲,
落葉時節欲斷魂!

感　慨

心靈失了著落半年多，
換了多少憂悶和咽嗚！
人前強笑，
都爲只怕弱點露；
他人那知，
日坐愁城把時光過；
煩惱之神，
請你別再召我！

倩影翩翩佔據了我的心坎，
夜夜映出了多少的背景！
背景深處——
却是殺人的利刃！

— 19 —

思潮澎湃推入了腦海，
浪紋層層疊疊的瀠洄；
借那心坎的藍地亞，
奏出了幾許的感慨！

——作於思潮韾集之夜。

秋　水

湖畔蒼翠的青草，
堤邊婆娑的柳梢；
風兒習習吹了青草，
月兒朦朧上了柳梢；
這時光——
一切都給自然所籠罩！
或許眞情之漿汁於此時而降到？
誰個受到眞情之漿汁去栽培心苗？

瞬時間，冷峭的秋水，
在嚴肅的空氣裏到了！
青草兒枯顛，
柳梢兒禿掉，
這消息由何而帶到？

一泓秋水——
換了多少人們的無聊!
迷了多少人們的心竅!
呵,無情啊,秋水!
望斷了,望斷了!

將來之果

可憐的心靈:
別再蕩漾吧,
快快歸來,
快去栽培那棵玫瑰花!
你要知道——
嬌艷的玫瑰花,
是栽培所成的;
將來希望的玫瑰花;
鮮紅和嬌艷,都繫於此。

蕩漾的心靈:
別再浪逐吧,
快快歸來,
快去灌溉那棵葡萄藤!

你要知道——
碩大的葡萄子，
是灌溉所成的；
將來希望的葡萄子，
鮮明和碩大，都繫於此。

——作於蘇州。

照　片

我把妳幽閉在皮篋裏，
這是多末的殘忍！
不過，
要妳原諒呀！

幽閉是殘忍，
遺失是寡情，
懸掛是不能，
這是多末難呀！

——作於上海。

贈圓姑

浪花怒濺了,
波濤洶湧了,
過後,潮水已退,
剩下了一個可憐人躺在沙灘上
呻吟著,悲嘆著!
四圍的空氣,
羅罩著一切的悽愴;
一切的一切,
都蒙著不可思議的荒涼!
呻吟無益!
悲嘆徒然!
世人誰能識他?
剩有的一切,
都不能再和他發生什麼關係!

烏雲擺開了,
月姐歸來了,
見那躺在沙灘上的可憐人,
表示絕對的憐憫。

好似表同情的樣子,
將那銀潰欲溢的'燦爛之光'——
替他洗塵;
嫵媚的,如笑靨羞花的安慰他。

那人合十的說了:
感謝您,
感謝您,
我的月姐,我的知心!

那人磊落的影子,

— 27 —

月姐嬌媚的光線,

好似合在一起——

蹁躚的舞著自由之花!

——十一,二七晚,作。

紀　念

哦，
耕不熟的愛之田！
哦，
擾亂極的心之弦！
一切的眼前，
不過是愁海恨天！
目前的萬千，
都成了殘花浮烟！

花的嬌艷，
月的光妍；
再不能和我發生牽連。

懶洋洋的並坐在溪邊，

—— 29 ——

這不是前年的紀念?
恍惚惚的對坐瓊筵,
這不是去年的紀念!
　今年的紀念,
　可是已付流泉?

離　　恨

迴思從前，
都是生命史上幾頁的血痕！
記起北風途上的一夕，
令我斷魂；
到今朝，空留了蒼苔露冷！
一片離恨，
只好訴諸月裏黃昏；
只好訴諸風裏鐘聲；
唉，
恨夾愁，愁夾恨，
愁恨多，
焉得玉無痕？

怪什麼環境，

— 31 —

怨什麼他人,
只怪自己!
只怨自身!

那——'珠簾月小,翠幙應沉'這時
怎不令人斷魂?
相思債,一重復重,
遙望吳門,
腸斷寸寸!
無可奈何,只得——
頻與恨,頻與恨!

今生今世,
幾時纔能與那過去崇拜的觀音
到老終身?
唉,恨那貌傾城!
貌傾城,顛倒衆生!

顚倒衆生!

美景良辰,
不過賜我一束的離恨!
但是——
'多少紅顏天上落,
總添了幾何的土坟!'
有何恨?
何必恨?

——作於南京客邸。

弱音

一節好音樂,
奏得實在好聽;
失意的人兒聽了,
　覺得傷心!
個中的人兒聽了,
　說是弱音!

破鏡本不能重圓,
暫離怎無重見面?
　殘酷的心腸,
　偏偏將我試驗!
　血淚的愁絲,
　偏偏將我絆牽!
　失意的事體,

偏偏將我嘗遍!

把那過去的一切,

和那今日的結果,

奏出一腔哀聲——

給那後來的兄弟們聽聽;

知所以警,

知所以恨,

免得調弄給愛神。

——作於吳下。

玫瑰牌

一枝嬌滴滴的玫瑰花，
鑲成了一塊光亮亮的金牌；
掛在姑娘的胸前——
分外顯得嬌艷。

玫瑰的花朵紅得新鮮，
姑娘的丰姿如碧波的瀲灧；
玫瑰的花朵蜜蜜甜，
姑娘的姿容動人憐；
玫瑰的心兒噴噴香，
姑娘的神態愈高揚；
玫瑰的葉瓣碧碧綠，
姑娘的芳心最最毒！

——作於病院內。

(按:玫瑰牌係年青姑娘的裝飾品,掛在頸項裏的。)

弱　波

總前因，
留下孽情！
因而生，
哭訴愁恨；
一片弱波有誰聽！

恨她貌傾城，
算夢中人！
多愁病生，
脈脈悲泣相思深！

新　秋

天懸新雲彩，
時令分明改；
綠葉颯颯如翠微，
雁傳促早歸。

葉報無限懷，
彩雲薄薄已新秋；
不回更何待？
使人望穿眼！

懷人

臘鼓聲裏，
鬧著別離；
淚——涕——
曷勝歔欷？
杜鵑聲聲啼，
魂兒魄兒都像那一
落花蝴蝶作團飛！

秋風乍起，
偕行唱喁烟橋底；
今日裏，關山遙阻；
誰悲失侶情緒？
再過烟橋，
樹上黃鶯亂啼，

魂兒魄兒都像那——
落花蝴蝶作團飛!

弱心雖微,
亂糟糟,意迢迢,
恰如征騑:
作客他鄉的園妃,
再會無期!
昔日歡喜今成恨;
稱心適意能有幾?
從前相依依,
今日成別離;
午夜角聲哀啼,
魂兒魄兒都像那——
落花蝴蝶作團飛!

——作於蘇州歌痕新詩社編輯室。

—— 41 ——

小　詩

淒涼前邊,
祇有荒烟!
伊人芳面,
其何能見?

代友人哭亡五弟

"吾友顧君,遽喪五弟,因悲不自勝,難以握管,爰特代作是篇,以慰地下。"

恨彼蒼:
令俺斷腸,淸淚兩行!
恨天殤:
令俺心狂,氣咽胸膛!
手足兩載,
只落得如此一場!
天道茫茫甯論?
天道皇皇可恨!
少者殤,此恨誰償?
回首處境盡淒涼!
曾記得——

來蘇時,抱弟狂吻,
俺嗅香,弟乃笑揚揚;
不圖就成了永訣的印象!
今夏回里,弟已何往?
五弟!你怎麽如此心硬?
抛却了——
吻你的薄命阿兄;
期望你的慈愛高堂;
來日方長,弟何遽亡?
唉,唉,唉,
月缺有重圓之日,
此別不能再見弟面!
湘波渺渺,
弱魂何往?
怎不令我腸斷心狂?
一切的悲傷,
我願俱付滄浪!

滄浪之水茫茫，
何能滌我狂的心與斷的腸？

——作於蘇州二中。

信步江邊懷感

浩蕩而雄壯的江流，
滾滾的流向東頭；
洶湧而澎湃的波浪，
迭迭的鼓動如阜；
現出那一片景象，
使人不可久留！
使失意人奪氣，
　頻頻興愁。

　黃黃的水，
　青青的天，
　汎濫到心田，
　鼓動了心弦；
輕輕的奏了一曲，

覺得神祕可憐!
雜其間,
心聲和水聲相牽。

兇狠的大江,
刻刻的變臉;
有時溫柔動人憐,
有時水天相接,變個極可怕的臉!
無情江水是如此,
嫵媚的女子,誰說不是這樣?

風師作虐,
硬把浪濤興;
掀起了絕可驚人的浪紋,
把旅行者威嚇!
浪花四面的飛濺,
吾的心兒碎舞片片!

——作於鎮江金山縣江之畔。

小　詩

(一)

此心迢迢，

夢魂遙遙，

倍無聊！

歲月空添，

相思債難消！

(二)

還不清的相思債！

流不盡的多情淚！

一切殘酷，

都歸我來！

— 49 —

微光

晶瑩瑩永繚繞在腦間;
亮閃閃永盤旋在心中;
呼喚,吶喊,
何日實現?

莫忘背利刃——
荊棘的蔓草路,我們要去砍!
莫忘下決心——
前途的光明路,我們要去尋!

砍砍,尋尋,
尋尋,砍砍,
爲溯光明,
切莫遲停!

紅花芳草繫所思,
翠袖綠竹意遲遲;
朋友喲,莫上當,
這都是天羅地網的縛人絲!

這些微光,
不足安慰!
爲湖光明,
切莫遲停!

——作於南京孟淵客邸。

客地黃昏

同是碧油油的蔚藍天涯,
欲溯故鄉黃昏的滋味無由;
這般,那般,
只怪天涯太偉大而悠悠;
無限低回,
何處去領受馨甜味兒的溫柔?

黃昏晚鴉亂噪,
滿腹心潮,五衷暗淚交流!
只恨無意握管,
褰住了我的筆頭;
欲寫無由,欲寄鄉書無郵!
無由無郵,
萬種情緒,筆頭怎樣收?

最是黃昏時光，
又引鄉心又引愁。

——四，三，作於泰州。

知道見時難

——戀曲之一——

朝盼情侶,夜盼情侶,
羅衣怎耐五更寒!
這難道也是青春的煩惱嗎?
無怪夢斷了十二闌干!
最是懷人的時節,
惱人的月兒偏團圞;
知道見時難,
不怪郎無心肝!

春風秋月容易過,
相思的債兒幾時完!
緊握著儂手,
直視著顋頰的面盤;

梨花臉兒見瘦了，
相思的淚痕尚未乾！
柔柳腰兒見削了，
反嫌羅裳太寬！
相對默默無一語，
　阿儂眞心酸！
　郎看愈出神，
似驚似喜似不歡；
　知道見時難，
　不怪郎細看！

春風秋月容易過，
種下的愛苗情果幾時熟！
　對物傷懷——
從此羞看紅的花兒綠的竹！
　一切過去的惆悵，
都把牠在今天愛的波裏膏沐！

— 55 —

啊喲!當眞瘦削了,
抱,抱,腰兒不盈掬!
說句殘忍的話吧,
還想吃儂的乳峯—— 鷄頭肉;
並肩斯磨,
今天也算我倆暫時的歸宿!
愛的波兒動了,
振顫了兩兩的心頭小鹿!
唉,知道見時難,
不怪郎輕薄!

——一六,三,作於愛魂室。

乍寒之夜

斗齋寂岑,
送得進的是秋聲,
聽得見的是蟲鳴;
人兒嘆孤零,
影兒現伶俜,

燈蕊熊熊不明,
照不到窗櫺;
飛繞燈旁的紅餤蛾
今日不再臨!
'楊花雪落覆白萍'
到何處再欲效颦?

茫茫天垠,

— 57 —

遍地覓知音!

年年憔悴伴風韻,

這分明是惆悵?是沉淪?

脂粉輕勻,

誤我到如今!

人消瘦,夢縈縈

幾番恩愛事,

舊夢難重溫!

只有帳前冷圍屏——

見著人兒喜,見著人兒恨。

孤枕半邊冷?

空餘半紅綾!

閉目難眠數深更,

思量何事問迷津?

今宵乍涼,

仰首怕看短燈檠。

想不完的前情，
曾將釵鈿結下了新盟；
愛的靈苗未萌，
閒愁賬上倒添了一行！
漏聲靜，
知有多少人——
乍寒之夜嘆飄零！

—— 59 ——

夜籟

雲光慘淡,
月姐兒躲掉,
黯神降上了樹梢,
微微風在樹梢上呼嘯。

黑漆漆的不能見什麼,
只有一片夜籟可聽:
窗外是風吹簷下鐵馬響叮叮,
窗內是憔悴人嗚咽泣飄零;
靜悄悄,意悄悄,
依然是心兒不定。

鐙光如豆難明,
怎有紅蛾飛來?

今日果,昔日栽,
江何流落了二十載!

年青的妹啊!
年青的郎啊!
消磨著—— 丰韻,金缸,紅粉;
唉,一切都渺茫,
只有夜籟中枕上的紅淚,
纔是一切眞情之遺痕!

春去了

鳥語花香，
多末可愛的春光！
瞬也落英遍地，
有心的人兒斷腸，
失意的人兒惆悵。

時光之神啦：
又把春光帶去；
春去矣，
添了幾許人的歔欷！

刻毒的亞當啦：
天理爲何要循環？
長使——

有心的人兒悲哀，
失意的人兒呼嘆。

送友人從戎

長亭十里，
亭傍栽著很有年代的古松；
聽這一陣陣松濤，
中心不禁如火般的熊熊！
我們不是閨閣中的少婦，
何必兩眼淚濛濛！

將別的人呀！望你深深的記著，
故鄉是困人的牢籠！
我們今日的眞理，
只有前去'進攻'；
當我們奏凱歸來，
纔是人生無上光榮！

將別的人呀!這是凱旋的先兆——
你看前邊不是五采紛華的長虹?
今日痛飲離別酒,
明日前去做征鴻!
奮起了青雲志,
策起了百戰百勝的驊騮。

將別的人呀!這是人生最光榮的事啊,
爲抒國難而從戎!
今日入伍,
他日成功!
切莫害怕而撒手,
見了遍地的白骨頭顱和鮮血腥紅!

將別的人呀!這是我們的紀念——
堤邊丹楓,亭畔古松!
勸君更進一杯酒,

— 65 —

今夜做著廝殺敵人的夢!

誓與敵人不兩立,

誓獲最後的光榮!

——作於蘇州橫塘。

寫給南妹

風飄飄，意悄悄，
天涯淪落年復年！
鮮花不能安慰，
恨海何日能塡？
只有妳的這幅芳影，
深深的種入了我的心田！
只有妳的這頁紅柬，
徽微的鼓動了我的心弦！

雨濛濛，意悄悄，
受盡磨折萬萬千！
綠葉紅花供几前，
把我的愁腸惱恨憑添！
二十年來，

只落了癡情的閒悵一篇!
今日我倆心兒相牽,魂兒相連,
他日攜手呵呵笑並肩!
妹啊,今生定情的釵鈿,
證是前生的良緣。

妹啊,我的人呀!
我不愛妳貌兒生得嬌妍,
我不愛妳樣兒長得如仙;
我愛妳這顆純潔冰清的心兒,
將我枯澀的心靈永永的相牽!
我愛妳這腔熱血熱腸的情意,
將我寂寥的心靈永永的伴眠!

妹啊,我的人呀!
我的一切交給了你吧!

妳去嗎

涼縮縮,寒瑟瑟,
我們是冰天雪地的小羔羊,
咩咩的咩咩的叫個不住;
只能叫,我們只敢叫,
但——但是不敢掙扎寒涼的侵襲。

上帝說:
"人類我都付與他們創造力的。"
信徒啊,幹吧!
只有白骨鮮血,
纔能造成高遙遙的天,光亮亮的日!

喂!朋友啊:
我不敢勸妳止哭,

也不敢勸妳發笑,
但是妳可以擡頭了!
看見嗎——
青青的天,白白的日,都在妳的前面了!

可恨我沒有這勇氣——
否則定把我的鮮血獻給妳,
做一杯餞行之酒!
願妳一城一城的前進,
不要見了地上頭顱而發顫!

妳去嗎?
妳快去吧!

彤　雲

夢遙遙，魂迢迢，
終日閒居喚無聊，眞無聊！
心弦上鳴著曲調，
胸坎裏蘊著煩惱！

我曾睡過溪邊：
吸吮著自然的漿汁；
碧淸淸的鏡波幾點，
黃橙橙的落葉幾片，
水聲泉鳴的一切——
拉了我奔騰的心靈捲入渦漩。

我曾睡過花間：
吸吮著花粉蜜蜜甜甜；

一朵朵的花兒繫住了心絃，
一瓣瓣的花片繽紛在眼前，
花香花甜的一切——
終於使我兀自怨艾的嘆可憐！

現在我的心靈高懸在天邊，
景微曦，情意綿綿！
彤雲斑斑——
如澄清的流泉，
如美女的嬌妍，
如峯巒的高巔，
如佩懸的珠鈿，
使我同情之心永相牽！
使我心上創痕永補填！
處女美貌的彤雲，
我願與牠相抱著同眠，
安慰我那荒蕪的心田！

彤雲瞬時幻去了,
變成一推迷濛的荒烟!
唉,是了,
那有不散的盛筵!

晨露

擁著冰清的孤衾，
生命的火餤微微的燃燒；
滴不完的沈沈夜漏，
組成了漫漫的長宵！
只爲嗚咽之聲所縈繞，
不知窗外綠茵把沈露帶到。

夜神在暗處呼嘯，
靜悄悄不能入睡的人啦，
憑空的觸起了自覺的煩惱！
多愁多恨的人啊，
切莫自己消瘦了玉貌！
長恨之魂，
時時刻刻的把心弦亂敲，

把心竅深處的情緒胡攪，

弱小的昆蟲受了露溼而呼號，
詩人在青葱的墳上憑弔；
只有這暫時的清爽空氣，
足以使那失意人時發微笑！
足以使那失眠者寬懷開竅！

只能看出池塘淺草的垂頭，
不知牠們受了夜露的籠罩！
雙目向著魚白的天空遠眺，
心旌兒暫時安慰而微動微搖！
繡花的鞋尖溼了，
心腔裏的火燄不由人的又燃燒。

宵來失眠，
晨起看曉露；

依然換了些——
昆蟲的呼號!詩人的憑弔!
仍舊是無聊,煩惱!

青　燈

茫茫的在人海裏狂奔，

遑遑的在人海裏尋儔；

一次次的受著意外的失望，

把塊整個的心田變成了一片荒洲！

一次次的受著意外的失望，

把塊脆弱的心田宛如澆了滾油！

現在我是失望的敗俘，

現在我是失韁的驂騮；

一天到晚浸在慘淡的素中，

心靈兒像個搖搖擺擺的扁舟！

於邑不暢的胸懷啦，

好像時時刻刻的澆著一服無名之愁！

生命之火燄再向著什麼去營求！

只有每天晚上對著青鐙的時候，
我就把嘆息之聲呼喊個不休!
一切胸中紛紜的情緒和忐忑的思潮，
一時都擁上心來難收!
情緒兒密稠，
思潮兒悵惆，
不敢回想過去的玉人溫柔!
不敢回想前夜鎮宵的雙淚交流!
今日鐙下起了青年之憂，
欲想擺脫煩惱終無由!
青鐙對了孤影，
分明是愁腸悠悠!
孤影對了青鐙，
壯志何日能酬?
憂憂，愁愁!愁愁，憂憂!

陌頭柳

柳色青青，
柳條彎彎，
如解人相思的柔情，
如療人色狂的風韻；
閨中年輕的少女啊，
見了陌頭柳色，
憑添了多少的悵恨？

柳色青青，
柳條彎彎，
如羅輦翠扇蓋臨，
如一片清潔的碧茵；
閨中年輕的少婦啊，
見了陌頭柳色，

傷了幾何的思夫之心!

鳥　語

樹梢上棲著的小鳥兒，
說著淸脆的語聲：
如說人太癡，
如說人太忙，
如說人太憨。

一個個人們仰首靜聆鳥語聲，
多末的淸脆悅耳；
眞是太癡！
眞是太忙！
眞是太憨！

無　題

他想識些字，
做個很有威風的文人！
我恨識了字，
做了辛勤的勞心工人！

山塘上

夕陽紅紅的照著，
　紅得如赤瑕，
　照得如血紗；
弔起了浪漫的歸心，
何處是家？何處是家？

夕陽照在山塘上，
　虎邱塔影斜，
　采色布邇遐；
弔起了浪漫的歸心，
何處是家？何處是家？

　多少前人遺迹，
　何處再聽胡笳？

— 83 —

青山綠水橋下，
依然猶抱琵琶！
分明欠的是惆悵債，
只怪柔碎的弱心一念之差！
弔起了浪漫的歸心，
何處是家？何處是家？

夕陽將要落下地平綫，
猶幻起了一天晚霞；
撩亂眼花，
微風吹起飛砂；
別再徘徊於陳迹之鄉，
聰明的人呀，歸吧！歸吧！

再示南妹

蜂兒舞,蝶兒忙,
鶯兒啼,花兒香 ——
這個時節,
最能引人欣賞;
透進鼻裏的是芬芳,
送進眼裏的是雲岡,
心愛的人啊,
別辜負了春光!

枕上繡的是鳳凰,
身上穿的是新裝,
心中造著百花莊,
心上權做用情場!
妹呀,妹啊!

—— 85 ——

我們同跪在唯一之神的前面——
恭飲她的洗禮之湯。

看啊!
枕上繚繞的餘香,
永盤旋在兩兩的心上!
妹呀,妹啊!
請你把我的心兒魂兒收藏!
妹呀,妹啊!
謹獻給妳一朵鮮紅滴滴的海棠!
請看我們的前途——
天上卿雲成了銀潢。

紅杜鵑

白荻丹楓,
塘岸堤邊叢叢,
繚住了失意之夢,
宛如鑽進了一座翠微之宮。

花前小立,
想起前朝事:
幾株懷古的梧桐,
幾棵前人的蒼松,
華景雖繁榮,
記想起四大皆空!

年年壓線,
終朝做著征鴻!

— 87 —

一腔孤憤的情緒，
半生淪落的滋味，
除掉飲恨淚濛濛——
向誰訴說？愧對了蒼穹！
花香小院靜寂寂，
中心反如火般的熊熊！

月色如珠籠，
懷人的淚兒如潮湧；
今日淚灑黃土，
明年花兒芃芃！
杜鵑的花朵鮮紅，
分明是淚灑杜鵑紅！

園裏杜鵑紅了，
見此景，賽如刀刳五中！
去年淚兒的成績，

今年向著悲恨之谟進攻!

梧　桐

靜處室內看月色,
給了許多雲翳所蓋掉;
辨不清的一陣陣風聲,
何處得見石燕起飛繞?
只聽得黑影下的樹梢,不住的呼嘯;
分明是窗外梧桐落葉聲,
習習的報告秋到了!

梧桐落葉的聲調如邊鼓緊敲,
心上的弦兒也隨著奏了幾調;
但願依了這音節,
唱幾曲甜密的歌兒破無聊!
怕無聊,偏煩惱,
孤子的心靈終迢迢!

想起十年前,

怎知今日惱!

歲歲潦倒!

從前栽下的這棵梧桐樹,

現今終於使人淌淚而哀號!

那裏想到?眞沒想到!

情癡癡,意遲遲,

一了百了,

世上惟有一個了!

怪什麼梧桐?

說什麼想不到?

—— 完 ——